PETITE BIBLIOTHEQUE DE L'ECOLOGIE

LA PROTECTION DE LA FORET

Les mots écrits en *italique gras*
sont expliqués en page 30.

Texte : Rosa Costa-Pau
        Professeur de biologie
Illustrations : Estudio Marcel Socías
Traduction et Adaptation : Cécile Couvreux

© Parramón Ediciones, S.A. - 1993
© MFG pour l'édition francophone

ISBN : 2-87606-515-0
Dépôt légal : 1er trimestre 1993
Imprimé en Espagne

PETITE BIBLIOTHEQUE DE L'ECOLOGIE

LA PROTECTION DE LA FORET

MFG EDUCATION

Un écosystème : la forêt

La structure la plus importante de la forêt est l'arbre. Il fournit à de nombreux animaux le gîte et le couvert. Chaque arbre peut être considéré comme un écosystème. Voici quelques exemples d'animaux qu'il héberge et parfois même nourrit.

Biotope et écosystème

La Terre est peuplée par une grande diversité d'êtres vivants : les mammifères, les oiseaux mais aussi les arbres et arbustes. Tous naissent, grandissent, se reproduisent et meurent.

Le développement de l'être vivant, animal aussi bien que végétal, dépend non seulement des processus de croissance qui ont lieu dans son corps mais aussi des caractéristiques du lieu dans lequel il vit.

Des facteurs comme le sol, l'air, l'eau, la température, etc., constituent les caractéristiques d'une zone ou région déterminée et forment ce que l'on appelle le ***biotope***.

D'autre part, les organismes se développent à côté d'autres être vivants. Cette association s'appelle la ***biocénose***.

Le biotope et la biocénose forment l'***écosystème***.

Un lac, un tronc d'arbre, un champ ou une forêt sont tous des exemples d'écosystèmes.

Les relations entre les écosystèmes

Les écosystèmes qui sont déjà chacun bien organisés, sont en relation les uns avec les autres.

Par exemple, les fertilisants utilisés par un fermier pour son champ peuvent être entraînés par la pluie vers une rivière qu'ils vont polluer.

Certains insectes qui commencent leur vie sur la surface de l'eau, prennent leur vol lorsqu'ils sont adultes et vont vivre dans un champ voisin.

De nombreux oiseaux se nourrissent dans les champs mais construisent leur nid dans la forêt.

L'écosystème de la forêt

Tous les êtres vivant dans la forêt sont adaptés à cet écosystème, c'est-à-dire qu'ils ont les moyens nécessaires de répondre à leurs besoins dans ce milieu.

Par exemple, les arbres ont des feuilles et des racines d'une taille et d'une forme telles qu'ils disposent de la quantité d'eau et de lumière nécessaire à leur développement.

De même, les animaux des forêts des zones froides ont des fourrures ou des plumes telles qu'ils sont protégés du froid.

Quand les animaux et les plantes vivent dans un milieu physique déterminé, ils constituent un écosystème. Selon le type et la variété des animaux, selon les espèces végétales et les caractéristiques physiques du milieu, on parlera de tel ou tel type de forêt.

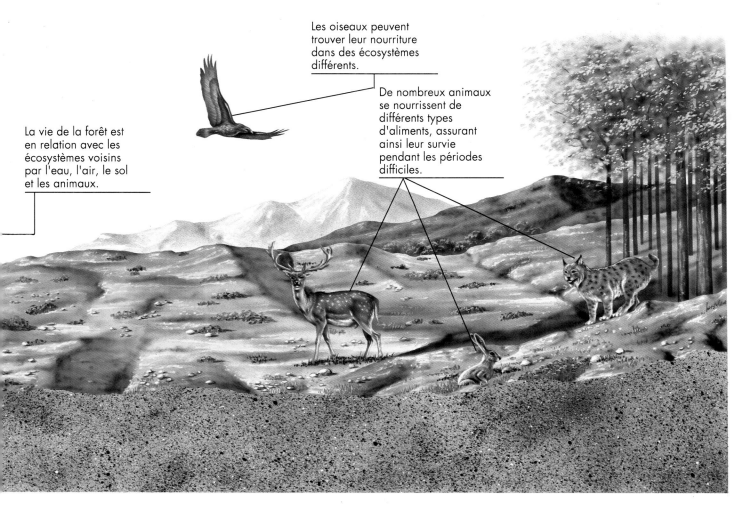

Les oiseaux peuvent trouver leur nourriture dans des écosystèmes différents.

De nombreux animaux se nourrissent de différents types d'aliments, assurant ainsi leur survie pendant les périodes difficiles.

La vie de la forêt est en relation avec les écosystèmes voisins par l'eau, l'air, le sol et les animaux.

Perturbations dans l'écosystème

Qu'est-ce qu'une perturbation ?

On appelle perturbations les actions exercées sur un écosystème qui en perturbent le fonctionnement.

Le feu, la coupe des arbres, un été très sec, une maladie, un orage sont des perturbations qui peuvent être naturelles ou, au contraire, provoquées par l'homme.

Les mécanismes de défense de la forêt

Une forêt peut résister à certaines de ces perturbations.

Par exemple, l'écorce du vieux chêne le protège du feu. Le pin, grâce à ses profondes racines, peut résister aux étés les plus secs.

Après un feu de forêt, certaines plantes produisent de nouvelles pousses ou leurs graines germent aussitôt. Ce sont là d'autres tactiques de survie !

Les effets sur la forêt

Les conséquences d'un incendie, d'une maladie ou de la coupe d'arbres dépendent des effets produits sur les éléments de l'écosystème : c'est-à-dire sur les animaux, les végétaux et le sol.

Si les plantes ont été presque totalement détruites, deux choses peuvent se produire : soit de jeunes plantes repoussent des graines restées dans le sol soit des plantes d'un autre écosystème viennent remplacer celles qui ont disparu.

Voici deux arbres bien adaptés à leur milieu : le chêne que son écorce épaisse protège des incendies ; le pin : ses feuilles en forme d'aiguille lui permettent de résister aux chaudes températures (en transpirant moins donc en perdant moins d'eau) et ses longues racines lui permettent de mieux capter l'eau du sol.

▼

PIN

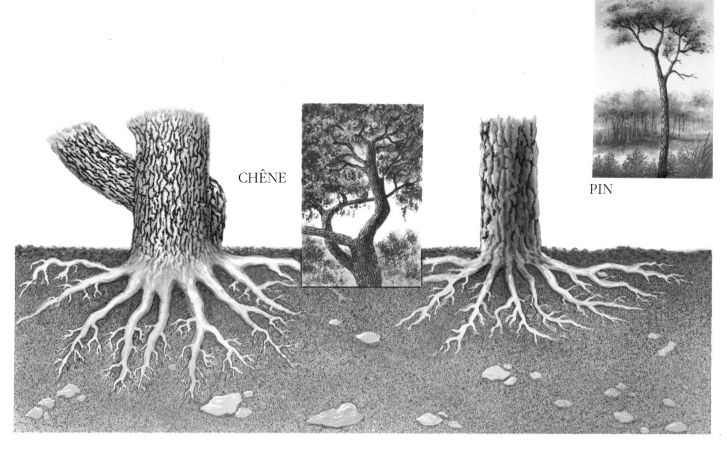

CHÊNE

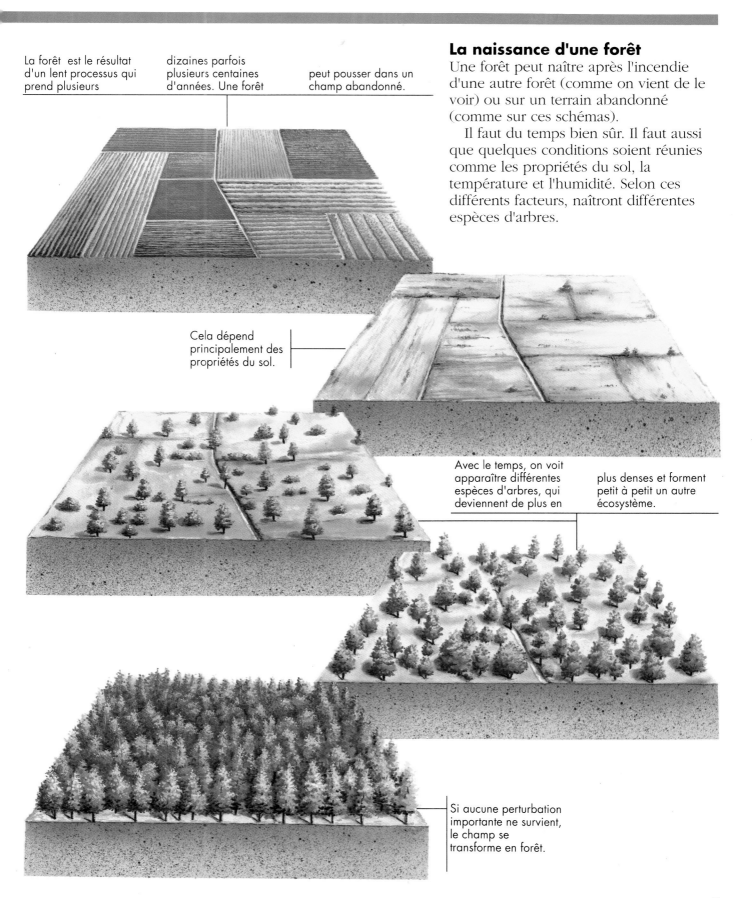

La forêt est le résultat d'un lent processus qui prend plusieurs

dizaines parfois plusieurs centaines d'années. Une forêt

peut pousser dans un champ abandonné.

La naissance d'une forêt

Une forêt peut naître après l'incendie d'une autre forêt (comme on vient de le voir) ou sur un terrain abandonné (comme sur ces schémas).

Il faut du temps bien sûr. Il faut aussi que quelques conditions soient réunies comme les propriétés du sol, la température et l'humidité. Selon ces différents facteurs, naîtront différentes espèces d'arbres.

Cela dépend principalement des propriétés du sol.

Avec le temps, on voit apparaître différentes espèces d'arbres, qui deviennent de plus en

plus denses et forment petit à petit un autre écosystème.

Si aucune perturbation importante ne survient, le champ se transforme en forêt.

Le sol de la forêt

Réserve d'eau et de sels minéraux

A l'automne, les feuilles des arbres changent peu à peu de couleur, se détachent des branches et tombent sur le sol.

Si on observe le sol de la forêt, on peut voir entre les feuilles mortes, des restes de nourriture, des excréments, des plumes, des animaux morts ainsi que des fruits secs et des branches d'arbres.

Or au printemps, tout a disparu ! C'est parce que la pluie, la chaleur, les bactéries et les champignons ont transformé tout cela en une espèce de tapis marron foncé : *l'humus*.

C'est dans cet humus que l'on trouve la réserve d'eau et de sels minéraux de la forêt.

Un monde plein de vie

Il existe dans le sol des organismes microscopiques, surtout des bactéries et des champignons, qui sont très importants pour la vie de la forêt. Ces organismes décomposent la matière organique et la transforment en matière minérale. Ces substances dissoutes dans l'eau circulent dans le sol et sont absorbées par les plantes.

L'importance du sol de la forêt réside aussi dans sa capacité de retenir l'eau et l'air.

Quand il pleut, l'eau est retenue par l'humus qui agit comme une éponge, absorbe l'eau et la garde en réserve.

Cela permet à la forêt de se constituer une réserve en eau et évite que l'eau reste en surface, ruisselle et entraîne la terre au loin.

D'autre part, les racines qui meurent et se décomposent périodiquement, laissent place à des galeries souterraines dans lesquelles il reste toujours de l'air.

De même, les petits animaux comme les vers de terre, les taupes ou les fourmis, creusent des galeries qui permettent de retenir sous le sol tout l'oxygène nécessaire à la vie souterraine.

Il existe dans le sol des organismes dont le rôle est très important pour la protection de l'humus et pour maintenir les caractéristiques du sol qui rendent possible la vie souterraine.

▼

La vie sur le sol de la forêt est très dense ! Les plantes et les animaux qui y vivent apportent de la matière organique.

Selon la façon dont les particules organiques se regroupent, le sol est plus ou moins perméable à l'air et à l'eau.

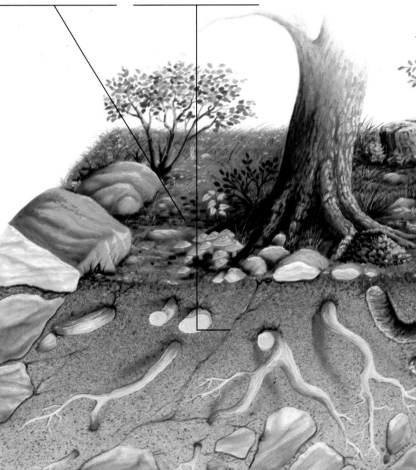

Un système anti-érosion

Les racines forment une espèce de filet dans le sol de la forêt, qui retient les particules organiques et minérales et évite ainsi l'***érosion***.

Ce filet retient également l'humus.

Un sol riche en humus, en organismes, en minéraux, en air et en eau est la base sur laquelle se développe la vie de la forêt.

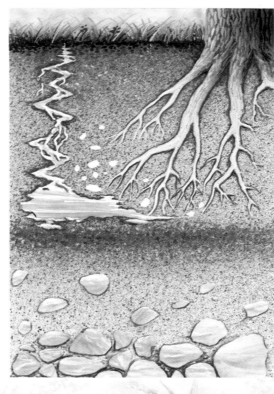

◄ *Voici une coupe verticale du sol. Cette représentation permet de voir plusieurs strates de couleur, de consistance, d'aspect ou de composition différents.*

Les animaux comme la taupe ou la musaraigne ont des griffes spéciales qui leur permettent de creuser sous le sol pour y construire des galeries. Le renard ou le lapin, bien que moins bien équipés, creusent également leur terrier dans la terre.

Les racines sont une partie essentielle de l'arbre parce qu'elles lui permettent de se fixer dans le sol et d'absorber l'eau et les minéraux qui lui sont nécessaires.

La destruction du sol

La pluie et le vent

La vie que l'on trouve dans le sol de la forêt a mis plusieurs années, plusieurs siècles à se développer. Si ce sol est détruit, il faudra donc longtemps pour qu'il se reconstitue.

L'eau de pluie et le vent sont les facteurs les plus importants responsables du déplacement des matériaux composant le sol des forêts ; ce sont des facteurs d'érosion.

L'érosion affecte la plupart des forêts de la Terre. Chaque année les grandes pluies et les vents forts dans les zones sèches emportent des tonnes de terre fertile vers la mer. Cette terre est alors perdue pour toujours.

Après une forte pluie sur un terrain en pente, l'eau entraîne beaucoup d'humus et de terre vers la vallée. C'est pourquoi l'eau des rivières est boueuse après la pluie.

Ce phénomène est d'autant plus important quand il n'y a plus de végétation pour retenir l'eau. On peut alors assister à des crues, parfois catastrophiques.

L'action de l'homme

Mais la disparition de la forêt est aujourd'hui essentiellement le fait de l'homme.

Des villes, des usines, des routes, des barrages sont construits dans des régions forestières. Ou bien alors on coupe la forêt pour cultiver la terre ou élever du bétail...

A tout cela, il faut encore ajouter la quantité d'incendies qui, pour diverses raisons, sont de plus en plus fréquents.

Une forêt a besoin de plusieurs années, voire de plusieurs siècles pour se constituer. L'homme, lui, n'a besoin que de quelques jours pour la détruire.

▼

L'abattage des arbres puis l'abandon des terres laisse l'humus sans protection face à l'érosion.

Les activités sportives comme le motocross, peuvent aussi détruire le sol.

La culture transforme les caractéristiques du sol, à cause de l'utilisation de fertilisants et la forte irrigation.

Un cycle infernal

Le résultat est la disparition de plus en plus d'arbres. Or sans arbre, pas de forêt. Et sans forêt, pas de protection pour le sol. La terre fertile est emportée par le vent et la pluie, la végétation ne peut plus pousser. La disparition de la vététation oblige les animaux à partir chercher leur nourriture ailleurs. Les petits qui ne sont pas capables de se déplacer sont condamnés à mourir de faim.

La disparition progressive de la forêt est appelée ***déforestation***.

Cette déforestation est dangereuse ; elle favorise les inondations (l'eau et le sol ne sont plus retenus par les arbres) et la désertification (le sol devient si pauvre qu'aucune plante ne pousse).

▲

Sur ce dessin, on comprend mieux comment l'eau de pluie emmène petit à petit toute la terre fertile (en marron foncé). Sur l'autre versant de la colline, les arbres retiennent cette terre avec leurs racines.

La lumière dans la forêt

De la lumière et de l'eau pour grandir

La lumière et l'eau sont indispensables aux plantes pour vivre.

Pour s'alimenter et grandir, les plantes captent, avec leurs feuilles, la lumière du jour et absorbent avec leurs racines, l'eau et les minéraux du sol.

Les arbres ont des avantages par rapport aux autres plantes : ils sont plus hauts et sont donc les mieux placés pour recevoir la lumière, et ils ont des racines plus profondes ce qui leur donne accès à des nappes d'eau inaccessibles aux autres plantes.

Mais ils ont aussi des inconvénients : ils sont plus exposés aux éclairs et aux tempêtes.

Lorsque la couche arborée est très dense - comme dans une forêt de hêtres - , la quantité de lumière et la chaleur du sous-bois sont inférieures à celles des zones dégagées. L'air est humide et circule à peine. Il fait sombre et frais.

Les couches de la forêt

On distingue, dans le sens de la hauteur, deux **couches** de végétation : la couche arborée et le sous-bois.

La **couche arborée** détermine, en grande partie, la quantité de lumière et de chaleur de l'écosystème forestier.

Le **sous-bois** peut être formé d'une *couche arbustive* (arbustes), d'une *couche herbacée* (herbes) et d'une *couche de mousses* recouverte de plantes sans fleurs comme la mousse et les champignons.

La partie qui se trouve sous le sol est la **couche souterraine**.

Ces différentes couches de végétation ne se développent pas toujours de façon uniforme.

Quand la couche arborée est formée par des pins, dont la végétation est plus éparse, la forêt est plus lumineuse, plus sèche et plus chaude.

Structure de la forêt

COUCHE ARBORÉE, formée d'arbres qui filtrent la lumière et la chaleur que les autres couches reçoivent.

COUCHE ARBUSTIVE, constituée par des plantes hautes et des buissons comme les mûriers, rosiers sauvages...

COUCHE HERBACÉE, formée de plantes à la tige tendre comme des orties, des fougères...

COUCHE DE MOUSSES, composée de champignons, lichens, mousses...

COUCHE SOUTERRAINE, faite de racines et de bulbes, c'est-à-dire la partie enterrée des plantes.

Les êtres vivants en action

Les organismes producteurs

Les plantes vertes doivent leur couleur à la **chlorophylle**. Ce sont les seuls êtres vivants capables de produire de la matière organique, c'est-à-dire de la nourriture.

Les plantes vertes absorbent le **dioxyde de carbone** présent dans l'air, et l'eau du sol qui sont ensuite transformés, grâce à la lumière, en molécules organiques très riches en énergie.

Cette matière organique est fabriquée dans les feuilles puis transportée, par la sève, dans toutes les parties de la plante pour être utilisée comme nourriture.

Ce procédé s'appelle la **photosynthèse** ou *fonction chlorophyllienne*.

Les plantes qui fabriquent des aliments par photosynthèse sont des organismes dits *autotrophes* ou *producteurs*.

Les matières premières nécessaires à la production d'aliment sont le carbone, l'oxygène et l'hydrogène qui se trouvent dans l'air et dans l'eau. ▶ La plante les obtient à partir du dioxyde de carbone absorbé par les feuilles, et à partir de l'eau absorbée par les racines.

Les organismes consommateurs·

Les animaux n'ont pas de chlorophylle, ils ne peuvent pas fabriquer eux-mêmes leur nourriture. Ils se la procurent donc en mangeant.

Ils mangent soit des plantes - s'ils sont *herbivores* - soit d'autres animaux - s'ils sont *carnivores* - . S'ils mangent un peu de tout, ils sont *omnivores*.

On dit que ce sont des organismes *hétérotrophes* ou *consommateurs*.

Le cycle du carbone

Grâce à la photosynthèse, les plantes sont les seuls êtres vivants capables d'absorber le dioxyde de carbone présent dans l'air et de le transformer en oxygène.

Lorsqu'il n'y a plus de lumière et que la photosynthèse n'est plus possible (la nuit), elles respirent comme tous les autres êtres vivants, de l'oxygène. Elles rejettent alors du dioxyde de carbone.

Elles créent ainsi un cycle en produisant tantôt de l'oxygène, tantôt du dioxyde de carbone. On parle de *cycle du carbone.*

Le cycle du nitrogène

Le nitrogène est également essentiel à la vie des plantes.

On le trouve dans l'atmosphère à l'état gazeux mais les plantes ne peuvent pas l'absorber sous cette forme. Elles l'absorbent sous forme de *nitrates.*

Les nitrates sont fabriqués à partir du nitrogène par des bactéries qui se trouvent dans le sol de la forêt. Les plantes les absorbent par les racines.

Le carbone et le nitrogène sont essentiels à la vie sur Terre. Ils circulent dans l'atmosphère, le sol et l'eau en changeant d'état. Ces différents états permettent leur utilisation par les éléments de l'écosystème (comme le nitrate qui est du nitrogène transformé). On parle de cycles.

▼

L'effet de serre

Un «contrôle» naturel

L'équilibre entre la photosynthèse, propre aux plantes vertes, et la respiration, propre à tous les êtres vivants, est essentielle non seulement dans le maintien de la vie de la forêt, mais aussi dans la préservation de toute la **biosphère**.

Pendant la respiration, les être vivants rejettent du dioxyde de carbone dans l'atmosphère.

Par la photosynthèse, les plantes, elles, produisent de l'oxygène.

Ces deux productions s'équilibrent : le dioxyde de carbone est essentiel à la photosynthèse, et l'oxygène est essentiel à la respiration.

Le dioxyde de carbone est, entre autres gaz, responsable de l'**effet de serre**. C'est-à-dire que ces gaz retiennent la chaleur nécessaire à la surface de la Terre et évitent un trop grand refroidissement.

Les plantes en absorbant une grande quantité de dioxyde de carbone, «contrôlent» naturellement l'effet de serre.

Le réchauffement global de la Terre

Mais ce «contrôle» naturel peut être sérieusement perturbé. Par exemple, par la diminution des zones forestières. La disparition de forêts entières peut entraîner une augmentation de la quantité de dioxyde de carbone présent dans l'atmosphère. Ce gaz empêche la circulation de la chaleur à travers l'atmosphère. Cette chaleur est donc retenue dans les couches basses de l'atmosphère.

La superficie de la Terre émet de la chaleur dont une partie est retenue par les gaz de l'atmosphère. Ce phénomène ressemble à ce qui se passe dans une serre. C'est pourquoi on l'appelle "effet de serre". Lorsqu'il y a trop de gaz à "effet de serre" dans l'atmosphère, on assiste à un réchauffement du climat.

Les arbres lorsqu'ils brûlent dégagent un gaz responsable de l'effet de serre: du dioxyde de carbone.

L'incinération de déchets produit différents gaz qui jouent un rôle dans l'effet de serre.

D'autre part, les activités industrielles, les moyens de transport, la production et le fonctionnement des biens de consommation comme les appareils ménagers, ont besoin de combustibles ou de sources d'énergie comme le charbon, le pétrole ou le gaz naturel

Ces carburants quand ils brûlent, produisent une grande quantité de dioxyde de carbone.

L'émission de ce gaz augmente. Les forêts disparaissent. L'équilibre est rompu. L'effet de serre augmente avec pour conséquence un réchauffement de la Terre.

L'atmosphère qui, grâce au dioxyde de carbone, évite un trop grand refroidissement de la planète, nous protège aussi, grâce à l'ozone, des rayons solaires nocifs.

Or, parallèlement à l'augmentation du dioxyde de carbone, on assiste à une disparition de l'ozone. Dans certains pays comme l'Australie, le soleil est devenu l'ennemi numéro 1.

Les usines sont de grandes productrices de gaz polluants. Ces gaz augmentent l'effet de serre.

La lumière du soleil contient des rayons dangereux qui peuvent provoquer des cancers. C'est le rôle de la couche d'ozone de les filtrer. Or certains gaz détruisent cette couche. ▶

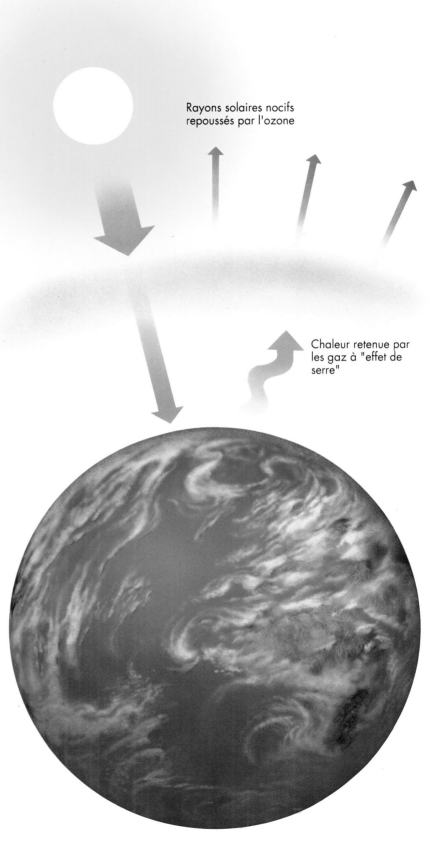

Rayons solaires nocifs repoussés par l'ozone

Chaleur retenue par les gaz à "effet de serre"

Les chaînes alimentaires

Les maillons de la chaîne

Les animaux herbivores mangent des plantes. Les animaux carnivores mangent des animaux herbivores ou carnivores. Chaque animal dépend donc, pour sa nourriture, d'êtres vivants. Cette dépendance est appelée **chaîne alimentaire**.

Une chaîne alimentaire compte au moins quatre niveaux.

- le premier niveau est représenté par les plantes vertes qui, nous l'avons vu, sont des *organismes producteurs*. Ce sont eux qui fabriquent la "matière première" de la chaîne alimentaire.

- le deuxième niveau est constitué par les animaux herbivores, qui se nourrissent de végétaux. On les appelle *consommateurs primaires*.

- le troisième niveau est formé par les animaux qui mangent les herbivores, les carnivores. Ce sont des *consommateurs secondaires*.

- le quatrième niveau est constitué par des micro-organismes : les bactéries et certains champignons. Ils se nourrissent des restes des autres êtres vivants. On les appelle des **décomposeurs**. Ils transforment les cadavres, les excréments et les débris végétaux en humus. L'humus, comme on le sait, est très important pour la forêt, notamment pour les plantes.

La chaîne est ainsi bouclée !

Les interactions

Il est important que les animaux carnivores puissent changer leur alimentation en mangeant des animaux de différents niveaux de la chaîne ou bien appartenant à d'autres *chaînes alimentaires* de la forêt. Cela leur permet de survivre en adaptant leur menu aux ressources de leur écosystème.

Ainsi par exemple, sur le schéma de la page suivante, on voit que la musaraigne est la proie de plusieurs animaux : la belette, la chouette, le hérisson.

De même, le serpent et l'escargot ont pour ennemi le crapaud et le hérisson.

Une chaîne alimentaire simple comprend 4 niveaux : les plantes vertes, les herbivores, les carnivores et les décomposeurs. Il faut que ces 4 niveaux soient équilibrés. S'il y a par exemple trop de chevreuils dans une forêt, les jeunes arbres en souffrent. La végétation ne se renouvelle pas. ▼

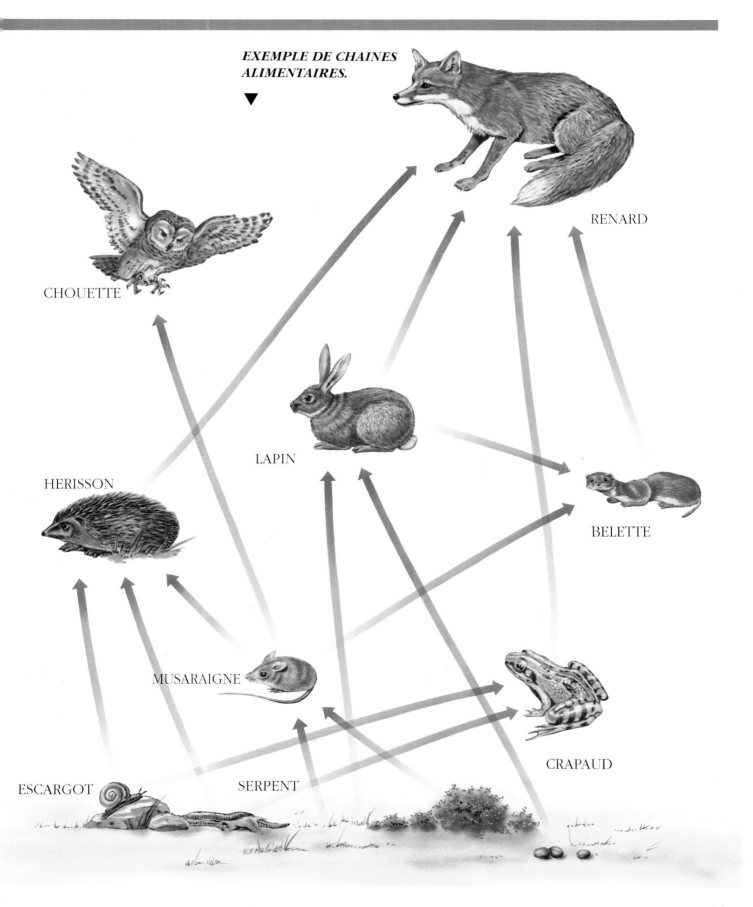

EXEMPLE DE CHAINES ALIMENTAIRES.
▼

CHOUETTE

RENARD

LAPIN

HERISSON

BELETTE

MUSARAIGNE

CRAPAUD

ESCARGOT

SERPENT

Les pertes d'énergie

Pyramides d'énergie

Quand on étudie la chaîne alimentaire et que l'on passe d'un niveau à l'autre, on remarque que plus l'on s'éloigne des plantes, plus la quantité d'énergie diminue. L'herbivore qui mange de l'herbe utilise une partie de l'énergie qu'il absorbe pour vivre, se déplacer, respirer... etc. Cette partie de l'énergie est, si l'on veut, perdue pour le carnivore qui mangera cet animal.

L'homme et ses aliments

Les êtres vivants obtiennent l'énergie qui leur est nécessaire pour vivre, soit par la photosynthèse soit par l'alimentation.

L'homme obtient également son énergie en s'alimentant. Cependant, il présente quelques particularités quant à son comportement écologique. Il se distingue notamment par la grande quantité d'énergie qu'il consomme pour le transport et la transformation des ressources.

Le transport et la transformation des ressources

Les premiers hommes se déplaçaient à la recherche de leur nourriture. Quand il n'y avait plus de gibier autour de leur campement, ils déménageaient.

Ensuite, les hommes, plutôt que de se déplacer, ont préféré transporter la nourriture dont ils avaient besoin depuis le lieu de production jusqu'au lieu de consommation.

La transformation du paysage naturel par les premiers hommes était très minime. Puis elle a augmenté avec l'apparition de l'agriculture et de l'élevage. Ces dernières années, les exploitations agricoles, les élevages et la construction des grandes villes et de centres industriels ont beaucoup transformé le paysage naturel.

▼

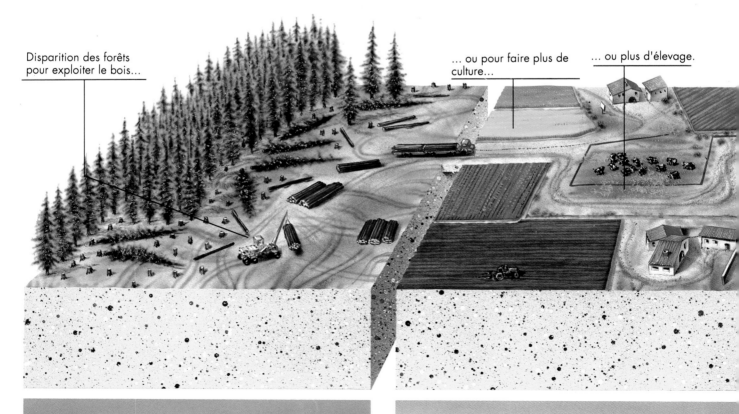

Disparition des forêts pour exploiter le bois...

... ou pour faire plus de culture...

... ou plus d'élevage.

De nos jours, les grands centres de consommation sont les villes vers lesquelles il faut transporter ce dont les habitants ont besoin.

Mais ce transport et la transformation des aliments et des autres biens de consommation nécessite beaucoup d'énergie.

L'accumulation des déchets

La production d'énergie implique la formation de déchets.

Aujourd'hui, à cause de nos grands besoins d'énergie, les déchets s'accumulent.

L'accumulation de ces déchets dans l'eau, l'air et le sol constitue une **pollution**.

L'énergie initiale produite par les plantes passe dans chaque élément de la chaîne, mais avec beaucoup de déperditions.

Quelques usines ne sont pas polluantes, mais leur implantation entraîne la disparition du paysage naturel.

La construction des villes et des routes s'est faite, en partie, au détriment de la forêt.

La pollution de la forêt

La déforestation

La déforestation c'est, comme nous l'avons vu, la réduction de la masse forestière c'est-à-dire la disparition de la végétation - arbres et plantes - d'une forêt.

De nos jours, les forêts sont menacées : on coupe beaucoup d'arbres pour obtenir du bois, on y construit des centrales hydroélectriques, on fait des routes qui les traversent ... etc.

Malheureusement, quand on décide de construire une route ou une usine, on privilégie les critères économiques au détriment des critères écologiques. Ce qui veut dire que l'on ne fait pas attention aux conséquences que cela a sur l'environnement. Cela a parfois de graves conséquences sur la nature, comme par exemple la disparition en peu de temps d'une forêt.

Les causes

Comme tu le sais, la végétation de la forêt peut résister aux perturbations naturelles et à quelques perturbations humaines et a la capacité de se renouveler.

Mais cette capacité est limitée et certaines perturbations peuvent entraîner la disparition d'une forêt.

Exemples de quelques perturbations : l'érosion du sol, la coupe excessive d'arbres, l'introduction d'espèces d'arbres non adéquates, les incendies, les maladies, les insectes... etc.

Tout cela peut entraîner, à plus ou moins long terme, la destruction de tout ou partie de la végétation de la forêt.

Le reboisement après un incendie est normalement fait à partir d'un mélange d'espèces : aux espèces propres à la région, on ajoute quelques espèces choisies pour leur croissance rapide ou la valeur de leur bois.

FORET APRES UN INCENDIE

REBOISEMENT

Autres formes de pollution

L'Homme, en exploitant les ressources des forêts - pour le chauffage, la construction, les meubles, le papier... les a transformées, parfois même détruites.

L'Homme est également responsable d'un autre facteur qui représente un grand danger pour la forêt : la pollution.

Par exemple, les pluies acides, que nous étudierons en page suivante et qui ont gravement endommagé les forêts d'Europe centrale.

Un exemple : la forêt amazonienne
La forêt amazonienne est un des poumons de notre planète. Mais elle est gravement menacée.

En effet, pour permettre à une population sans cesse croissante de se nourrir, il faut cultiver de plus en plus de terres (cultures de café, cacao, ananas...). On élève également du bétail pour l'exportation. Il faut pour cela défricher, par le feu notamment, de grandes surfaces de forêts.

Or ce défrichement est sans fin car le sol des forêts, lorsqu'il n'y a plus d'arbres, devient très vite pauvre et on ne peut plus le cultiver. Il faut donc à nouveau défricher. Les terres abandonnées après la déforestation sont de véritables déserts.

Les pluies acides

Substances acides

Quelques substances, comme le jus de citron ou le vinaigre, ont un goût caractéristique que l'on appelle acide.

Le pH est l'indicateur que l'on utilise pour calculer le degré d'acidité d'une substance.

Le pH va de 0 à 14, du plus acide au plus basique. L'eau distillée a un pH égal à 7, ce qui veut dire qu'elle est neutre.

Quand l'eau de pluie a un pH de 5, elle est acide. Cette acidité vient généralement d'acide sulfurique et d'acide nitrique qui y sont dissous.

Ces acides se forment dans l'atmosphère à partir de gaz émis par des usines et par les voitures.

Acides polluants

Après s'être formés dans l'atmosphère, l'acide sulfurique et l'acide nitrique reviennent sur la Terre dans les pluies, les brouillards et la neige.

Les pluies acides transmettent leur acidité aux rivières, aux lacs, aux océans, aux villes, aux champs, aux forêts... etc.

Cette acidité appauvrit le sol parce qu'elle attaque les micro-organismes transformateurs.

Des forêts malades

Les forêts malades de l'acidité présentent deux symptômes : une perte des feuilles ou un jaunissement anormal du feuillage.

De nombreuses forêts européennes sont touchées, parfois irréversiblement, comme en Pologne, en Tchécoslovaquie et en Allemagne.

Les forêts sont attaquées par les pluies acides. Les substances polluantes qu'elles contiennent attaquent les feuilles des arbres et le sol des forêts.

▼

Les véhicules à moteur produisent des gaz qui se transforment en acides. Les villes sont de ce fait de grandes productrices de pluies acides.

L'oxyde de soufre et l'oxyde de nitrogène se transforment en acides quand ils rentrent en contact avec les gaz atmosphériques.

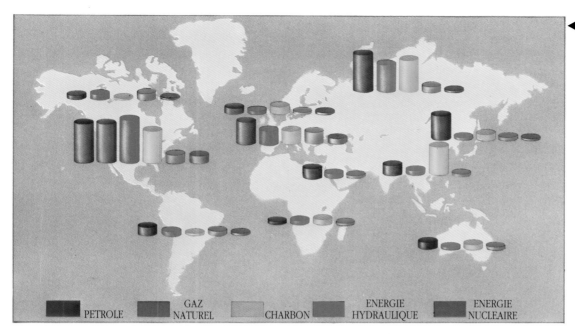

Carte mondiale de la consommation d'énergie. On s'est rendu compte pour la première fois de l'existence des pluies acides au siècle dernier. Il est possible de les limiter en contrôlant les émissions de gaz toxiques des usines et en utilisant des pots catalytiques pour les voitures.

Les acides altèrent la composition du sol et rendent difficile la production des nutriments essentiels au développement de la vie de la forêt.

Un des effets des pluies acides sur les arbres est le jaunissement et la perte des feuilles.

Le climat, le paysage et les forêts

Les zones climatiques

On distingue selon leur latitude, c'est-à-dire selon leur distance par rapport à l'équateur, trois grandes zones, appelées zones climatiques.

La **zone chaude** est comprise entre le tropique du Cancer et celui du Capricorne. C'est la zone la plus proche de l'équateur. On y trouve les forêts tropicales dites jungles.

La **zone tempérée** s'étend entre les tropiques et les cercles polaires. On y trouve les *forêts de feuillus* (arbres qui perdent leurs feuilles en automne) et les *forêts de conifères* (comme les pins et sapins).

La **zone froide** est délimitée par les cercles polaires et les pôles. On y trouve seulement la *toundra* composée de quelques arbres nains.

A l'intérieur de ces zones, il y a différents reliefs selon lesquels on distingue plusieurs climats : le climat de **haute montagne**, le climat de **basse montagne** et le climat de **plaine**.

La combinaison de la **latitude** et de l'**altitude** fait apparaître différents paysages.

Mais les différentes forêts, qu'elles soient de pins, de chênes ou tropicales, connaissent les cycles et les chaînes que nous avons étudiés comme propres à l'écosystème forestier.

Carte des zones climatiques. On y trouve
- au milieu en mauve, la zone chaude ;
- puis, en vert, la zone tempérée où se trouve la France ;
- et enfin, en bleu, la zone froide. Les dégradés dans ces couleurs montrent que l'on peut faire des distinctions plus précises à l'intérieur de ces 3 zones.

La végétation des montagnes varie selon l'altitude (car plus on monte, plus il fait froid et plus il pleut) et selon l'orientation (nord ou sud) du versant.

1. La toundra des zones froides est formée de mousses, lichens et arbres nains.

2. Les conifères sont des arbres bien adaptés aux climats froids. Leur forme conique les aide à résister au vent et à la neige.

3. La forêt de feuillus, comme les chênes ou les bouleaux, est caractéristique des zones tempérées.

4. La jungle, comme la forêt amazonienne, ne se trouve que dans la zone chaude.

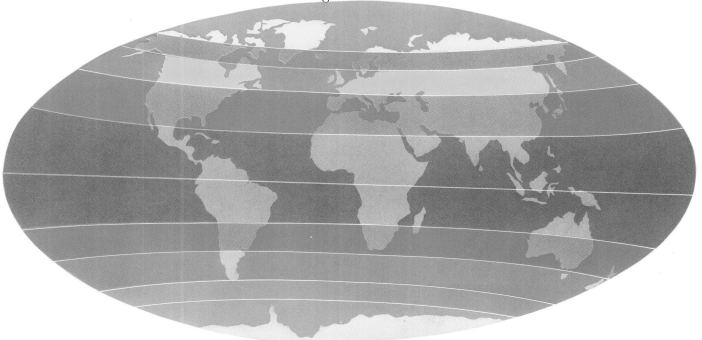

1

2

3

4

Expériences que tu peux faire

Les effets de l'érosion

Pour observer les effets de l'érosion sur un sol sans végétation, tu peux faire l'expérience suivante. Cette expérience ne reproduit pas toutes les conditions qui existent dans la nature où les racines sont le vrai système de rétention de l'eau.

MATERIEL

Pichets d'eau

Caisses de bois

Bacs

Herbes et racines, feuilles, petites branches, etc.

Terre

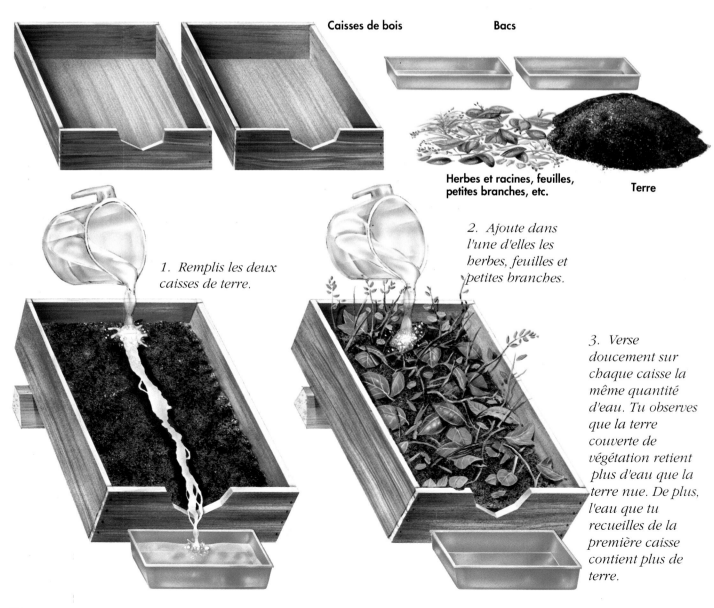

1. Remplis les deux caisses de terre.

2. Ajoute dans l'une d'elles les herbes, feuilles et petites branches.

3. Verse doucement sur chaque caisse la même quantité d'eau. Tu observes que la terre couverte de végétation retient plus d'eau que la terre nue. De plus, l'eau que tu recueilles de la première caisse contient plus de terre.

Le parcours des nutriments

Les racines absorbent l'eau et les sels minéraux du sol qui sont ensuite distribués dans toute la plante.

Tu peux voir quel parcours suivent ces nutriments en faisant cette petite expérience.

MATERIEL

1. Mets quelques gouttes d'encre ou de mercurochrome dans le verre d'eau.

Verre d'eau

Encre ou mercurochrome

Branche de céleri

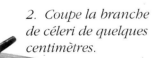

2. Coupe la branche de céleri de quelques centimètres.

3. Plonge le céleri dans l'eau.

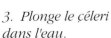

4. Tu peux voir les chemins empruntés par l'eau.

Observe un insecte

Les insectes constituent l'aliment principal de nombreux animaux de la forêt, comme les oiseaux par exemple. Tu peux observer le comportement d'un insecte en construisant un mini-terrarium.

MATERIEL

Eponge

Feuille de plastique

Bouteille en plastique

Rouleau adhésif

Élastique

Toile fine ou compresse

1. Coupe la partie supérieure de la bouteille. Si le plastique n'est pas transparent, tu peux faire une petite fenêtre que tu fermes avec la feuille de plastique.

2. Mets l'éponge humide au fond de la bouteille.

3. Ajoute une petite branche, que tu devras changer régulièrement. Ferme ton mini-terrarium avec la toile fine et l'élastique. Tu peux maintenant accueillir un insecte.

Petit lexique

biocénose : association équilibrée d'organismes - végétaux et animaux - dans un même biotope.

biosphère : couche comprise entre la Terre et l'atmosphère où existent les conditions nécessaires à la vie.

biotope : aire géographique offrant des caractéristiques physiques (sol, eau...) et ambiantes (température, ensoleillement...) propres à une biocénose.

chaîne alimentaire : ensemble d'espèces vivantes dépendant les unes des autres pour leur alimentation.

chlorophylle : pigment vert des végétaux capables de capter la lumière du soleil et de la transformer en énergie utilisée dans la photosynthèse.

décomposeur : organisme microscopique qui assure la transformation des débris végétaux et animaux en humus.

dioxyde de carbone : gaz présent dans l'air, que les plantes absorbent pendant la journée pour réaliser la photosynthèse. Tous les êtres vivants (sauf les plantes dans la journée) expirent ce gaz.

écosystème : association constituée par un ensemble d'organismes vivants (la biocénose) et le milieu dans lequel ils évoluent (le biotope).

érosion : action qui dommage le sol, provoquée par l'air, l'eau, les changements de température ou les êtres vivants.

humus : couche du sol constituée de substances résultant de la décomposition des restes animaux et végétaux.

pollution : dégradation d'un milieu naturel due à l'Homme et à ses activités.

photosynthèse : procédé qui a lieu dans les feuilles des plantes vertes et qui transforme les sels minéraux du sol en nutriments. Ce procédé se fait grâce à la lumière du soleil, à l'eau et au dioxyde de carbone.

Table des matières

- *Un écosystème : la forêt*   *4*

- *Perturbations dans l'écosystème*   *6*

- *Le sol de la forêt*   *8*

- *La destruction du sol*   *10*

- *La lumière dans la forêt*   *12*

- *Les être vivants en action*   *14*

- *L'effet de serre*   *16*

- *Les chaînes alimentaires*   *18*

- *Les pertes d'énergie*   *20*

- *La pollution de la forêt*   *22*

- *Les pluies acides*   *24*

- *Le climat, le paysage et les forêts*   *26*

- *Expériences que tu peux faire*   *28*

- *Petit lexique*   *30*